Pour ~~Chloé Théau~~

De la part de

Kay Thompson

# ELOÏSE À NOËL

Illustré par

## Hilary Knight

Traduit par J.F. Ménard

Gallimard Jeunesse

Traduit de l'anglais par Jean-François Ménard

Mise en page : Karine Benoit

ISBN : 2-07-052675-5
Titre original : *Eloise at Christmas Time*
Publié pour la première fois par Simon & Schuster, NY
© Kay Thompson, 1958, pour le texte
© Kay Thompson, 1986, pour la nouvelle édition
© Gallimard Jeunesse, 1999, pour la traduction française
Numéro d'édition : 90529
Dépôt légal : novembre 1999
Loi n° 49-956 du 16 juillet 1949
sur les publications destinées à la jeunesse
Imprimé en Italie par la Editoriale Lloyd

Il était une fois une petite fille

mais je crois que vous la connaissez bien,

elle s'appelle Moi, ELOÏSE,

et Noël, c'est demain.

Demain, c'est Noël,
dehors, il fait moins quinze
ou même un peu plus
avec un de ces vents !

Mais dans nos chambres,
nous, on est bien au chaud
là-haut,
tout en haut du haut du Plaza.

Ooooooooooooooooooooooohhhh !

Nous, c'est Fanchounette ma tortue,

Mouflet mon chien, Nanny,

ma Nanny chérie,

et puis MOI,

et la bûche de Noël

qui brûle dans la cheminée.

On a du feu plein les joues.

Et tout d'un coup,

ding-dong, on saute, on vole,

entrechats et cabrioles,

parce que Nanny a dit :

« Occupe-toi du sapin, ma chérie,

mais n'approche pas trop du placard

parce qu'il est plein de cadeaux. »


Et Nanny dit aussi :

« Babioles,

bricoles,

et girandoles,

ma chérie,

demain, c'est Noël,

et des choses à faire

il y en a ! »

*Je suis bien d'accord avec elle !*

Alors, je mets des clochettes autour de mon cou

et je vais ding-donguer un peu partout

autour du placard interdit

avec une auréole en feuilles de gui.

Ça me va très bien.

Pendant que Nanny remplit les chaussettes,
je lui crie haut et fort :
« Je descends dans le hall,
ils ont besoin de moi
pour mettre un peu de joie. »

Et Nanny répond :
« Bien sûr
bien sûr
bien sûr,
bonne idée, ma chérie. »

**Alors, je vais ding-donguer dans l'ascenseur.**

Et comme c'est la fête
toutes les cabines
sont bien remplies
et je suis un peu coincée
entre les bœufs et les ânes gris.

**C'est plutôt encombré.**

♪ Fa la la fa tinte ting et bulles, tintez sonnez babioles et girandoles, ding-dong Noël tintinnabule.

Et il faut voir le hall !
Impossible d'en approcher.
C'est fou, tous ces gens
qui passent, les bras chargés
de l'esprit de Noël.

En général, je me mets une étoile sur le front,
au cas où un cadeau égaré chercherait son chemin.

𝄞 Fa la la fa tinte ting et bulles, tintez sonnez babioles et girandoles, ding-dong Noël tintinnabule.

5ᵉ AVENUE PLAZA

ASCENSEURS

SERV

ASC

SERVICE

ASCENSEURS

**HOTEL PLAZA**
PLAN
DU
REZ-DE-CHAUSSÉE

LEGENDES

= ELOISE

= DÉBUT

= FIN

................... = ELOISE COURANT

– – – – – – – = ELOISE SAUTANT

————— = ELOISE DÉTALANT

〰〰〰〰 = ELOISE ZIGZAGUANT

～～～～ = ELOISE S'ENVOLANT

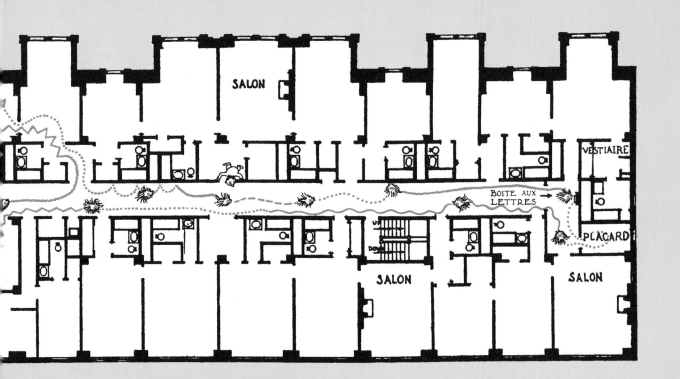

Et puis ding-dong, rapido presto, triple galop

j'accroche du houx dans tous les couloirs

des pompons aux boutons de sonnette,

et j'écris « Joyeux Noël » sur les murs.

Et en passant, je m'invite à toutes les fêtes.

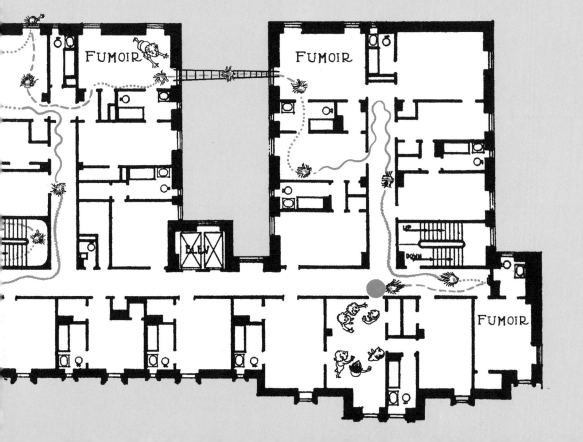

Elles sont plutôt animées.

Et hop, ding-dong, je file comme le vent,

en voilà une bonne surprise,

il est là, le divin enfant.

Ouvre vite, Nanny chérie, c'est Moi, ELOÏSE !

J'entends Nanny qui dit :

« Les bonbons à la menthe,

mets-les là-bas

avec les pâtes de fruits

et les biscuits

vas-y

vas-y

pour Noël

il faut que tout soit fini.

Voyons,

qui, qui, qui

a bien pu envoyer

ces roses si jolies ? »

𝄞 Oh, babioles et girandoles, chantons fa la la fa tinte ting et bulles, des choses à faire, il y en a,
Noël ding-dong tintinnabule.

Il faut sucrer les pommes d'amour,

casser les noisettes,

craque miam croque miam,

un petit tour autour des boîtes à caramels,

miam gobe gloup miam,

en général Mouflet m'aide

mais cette année il refuse de bouger

tant qu'il n'aura pas eu deux sucres d'orge

et un fondant et demi

moi, les sucres d'orge il m'en faut deux

et les fondants trois ou quatre,

Fanchounette déteste les sucres d'orge

et refuse de s'approcher des fondants.

A Noël j'en ai des choses à faire,

il faut que je fignole

babioles, bricoles

et girandoles

et tout ce qui me tombe

sous la main.

Ding-dong ici, ding-dong là, ding-dong Noël si do la

On accroche tout

au sapin de Noël

les grosses et grandes décorations

brillantes comme des flocons,

du givre qui poudroie

et des boules qui tournoient.

**Tout en haut j'ajoute une étoile**

**et des petits anges au-dessous**

Des lumières, en tout, on en a...

trente-sept plus seize.

Au groom, j'offre des cache-oreilles,
aux serveurs des chaussettes comiques.
A Thomas, un gilet à plastron,
et aux garçons d'étage une boîte à musique.

A mon ami Vincent, le coiffeur,
j'offre une brosse inhabituelle
avec des poils un peu bizarres,
elle s'est fait bousculer par la foule de Noël,

mais hop, guirlande et feuille de houx,
double ruban recto verso,
cire à cacheter et comme adresse :
CHEZ LE COIFFEUR ILLICO PRESTO.

A Mr Harris, le traiteur,
j'offre des gants de laine
et un morceau de gâteau du Japon
puisque c'est ça qu'il aime.

Au portier de la 59e rue
une bonne bouteille de bière forte
pour lui donner bien chaud au cœur
et empêcher que le vent l'emporte.

Et à cet adorable petit cheval
de l'autre côté de la rue
une couverture avec ses initiales
et une soupe aux bonbons fondus.

Aux canards de Central Park

j'ai envoyé une carte de Noël.

Fanchounette a cru attraper un insecte

mais ce n'était qu'une étincelle.


A dix heures et demie un facteur est arrivé

avec un colis express très pressé

mais comme il venait de l'avocat de ma mère

je l'ai tout de suite remballé.


Et moi j'ai un cadeau pour Nanny,

Nanny, Nanny

mais il ne faut rien lui dire

c'est un dé à coudre en argent

plein de myrrhe et d'encens.


Pour Mouflet, j'ai un os de bœuf grand luxe,

pour Fanchounette du lait de réglisse.

Pour le valet de chambre,

j'ai des abeilles en soie qui piquent

avec des épingles de nourrice.


Quand mes cadeaux seront livrés et emballés

sous le sapin en attendant la fête,

il restera à décorer ce petit arbre

pour Mouflet et Fanchounette.

Ah, il faudrait qu'on me le rappelle,

le porteur a besoin de bretelles.

**Parfois, il y a tant de choses à faire**

**que j'ai un peu mal à la tête sur les côtés et même en dessous.**

A Noël, il faut toujours offrir une chaussette et voici un petit conseil :

qu'elle soit trouée ou pas, qu'importe, ce qui compte, c'est d'y mettre

un perce-neige

ou alors une noix

si les fleurs

n'y entrent pas.

♪ Demain, c'est Noël, dépêchons, fa la la fa, des choses à faire, il y en a. Ding-dong, vite vite, apportez vos cadeaux, illico presto, triple galop.

En tout cas, on doit absolument
mettre un cadeau dedans.

♪ Oh babioles et girandoles, chantons fa la la fa tinte ting et bulles, jouez grelots, résonnez clochettes,
partout, ding-dong, Noël tintinnabule.

Après, il faut que je m'allonge
pour respirer l'air du sapin,
contempler l'étoile de Noël
et jeter un regard oblique
dans les épines du pin qui pique
pour voir si mes cadeaux sont là.

Parce que quand on a six ans
on ne peut jamais savoir
si on mérite des cadeaux
lorsque Noël est pour bientôt.

Alors si personne ne pense à moi
s'il n'y a pas de cadeaux sous le sapin
pas même un pois chiche
je saurai que je ne méritais rien
mais ça m'est bien égal,
et même je m'en fiche.

𝄞 Fa la la fa tinte ting et bulles, les cheveux d'ange ondulent, jouez grelots, résonnez clochettes, ding-dong,
Noël tintinnabule.

Mettez une bougie à la fenêtre,

la lueur scintille et étincelle

pour le voyageur solitaire

surgi de la nuit de Noël.

🎵 Fa la la fa tinte ting et bulles, les cheveux d'ange ondulent, jouez grelots, résonnez clochettes, ding-dong,
Noël tintinnabule.

Moi, mon chant de Noël préféré
c'est *Babioles et girandoles*
mais Nanny aime beaucoup mieux
la *Marche des Rois mages.*
Elle a une voix un peu étrange.

Et quand on chante
« *Doou-ou-ou-ce nuit*
*Sain-ain-ain-te nuit* »,
Emily la pigeonne, Mouflet
et Fanchounette crient
bis, bis, bis !

**Et tout le monde crie bravo.**

𝄞 Et ding et dong tinte ting et bulles, les cheveux d'ange ondulent, jouez grelots, résonnez clochettes, partout, ding-dong, Noël tintinnabule.

J'aime assez chanter des cantiques
fa la la fa à chaque étage.

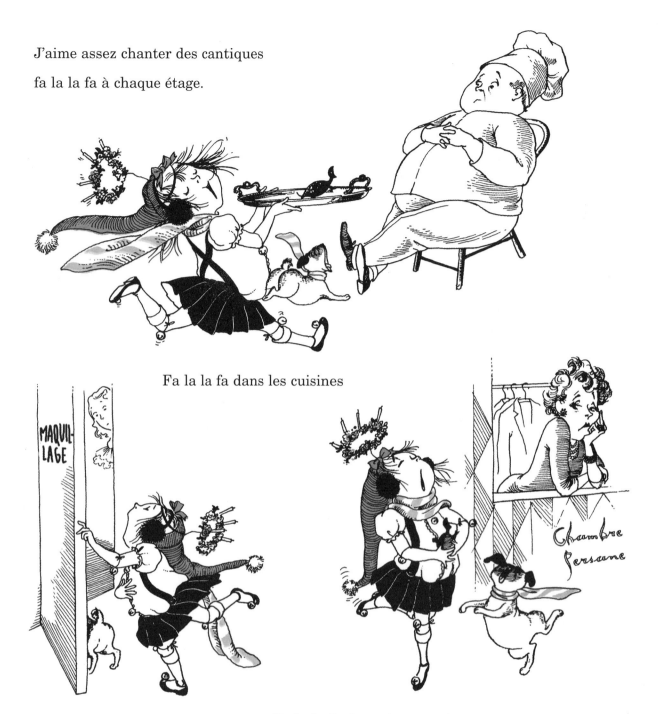

Fa la la fa dans les cuisines

Fa la la fa de porte en porte

♪ Fa la la fa tinte ting et bulles, les cheveux d'ange ondulent, jouez grelots, résonnez clochettes, ding-dong, Noël tintinnabule.

On a chanté *Noël nouvelet* pour la chambre 506,

*Douce nuit* pour la 507.

Pour la 509,
on n'a pas chanté
à la demande de la 511.

Mais ho, ho, ho, tinte ting et bulles
aux alentours du crépuscule,
on a pris la sortie de secours
et chanté d'une voix de velours

𝄞 Fa la la fa babioles et girandoles

pour Lily
la femme de chambre.

Fanchounette a perdu une dent
en chantant *Mon beau sapin*
mais on l'a retrouvée
derrière une azalée
cachée sous une pomme de pin.

Ma mère a téléphoné

de très loin,

depuis la Méditerranée

je crois,

on a parlé une heure

et on a mis ça sur la note,

comme au Noël de l'an dernier.

Elle a pris des coups de soleil

sur les mollets

et m'a envoyé

un charmant

chapeau rond

avec de jolis cache-oreilles.

**Je trouve que ça me va absolument à ravir.**

C'est triste à dire
mais Emily ne se sentait pas bien
Nanny a dit : « Ce n'est rien
une simple indigestion
à cause du réveillon. »

Mais elle avait l'air d'avoir la fièvre
surtout autour du cou
alors je lui ai mis
un petit panier de Noël
sur le rebord de la fenêtre
au cas où.

J'adore me promener en cherchant le moyen de rester éveillée la moitié de la nuit.

Oh, babioles et girandoles, chantons fa la la fa tinte ting et bulles, jouez grelots, résonnez clochettes, partout, ding-dong, Noël tintinnabule.

Ensuite Nanny s'est étirée en bâillant bruyamment
puis elle a demandé d'un air enjoué :
« Que fait-on debout debout debout
alors qu'on est
si fatiguée fatiguée fatiguée ? »

« Cette petite fille va ding-donguer jusqu'à son lit,

sans larmes, ni chagrin

elle va fermer les yeux

et dormir dormir dormir

pour être en forme demain matin. »

J'accroche toujours une chaussette à deux pieds

devant la cheminée,

au cas où.

Certains d'entre nous sont assez fatigués.

Alors certains d'entre nous ferment un œil ou deux

et font le rêve de Noël qu'ils aiment

avec un gros gâteau bien chaud

plein de crème crème crème,

des rennes qui portent des lunettes de soleil
et qui patinent sur les étoiles éparses
avec des moufles au bout des cornes
et des écharpes qui viennent de Mars,

et puis le père Noël qui dit : « Filons droit sur le Plaza, les amis, on va donner ses jouets à Eloïse et boire un verre avec Nanny. »

J'ai trouvé qu'il avait très bonne mine.

Quand on s'est réveillés
il était déjà reparti
et dans le noir de cette nuit opaque
on voyait ses rennes s'envoler au loin
entre les arbres de Central Park.

On a même vu les feux arrière
du traîneau du père Noël.

Emily a eu un bébé pigeon
exactement le jour de Noël.

Bien sûr, elle l'a baptisé Raphaël
parce qu'il est né dans ce grand hôtel.

« Tou-ou-ous mes vœux, chère Emily,
a dit en bâillant Nanny
mais quelle heure peut-il bien être ? »
On lui a répondu :
« Il est exactement Noël,
c'est l'heure de se glisser sous le sapin. »
« Oh oui, bien sûr, a-t-elle bâillé, bien sûr,
bien sûr, chantez *Babioles et girandoles*
et suivez-moi bien. »

C'est ce qu'on a fait.

Et on a ri et on a dansé pieds nus ding-dong jusqu'au sapin.

Alors, oh oh oh, ah oui vraiment,
oh oh oh oh, babioles, oh, girandoles,
regardez, mais regardez donc
sous le sapin tous ces cadeaux.

Noël, c'est tellement excitant
qu'on voulait tous voir sur-le-champ
le cadeau de

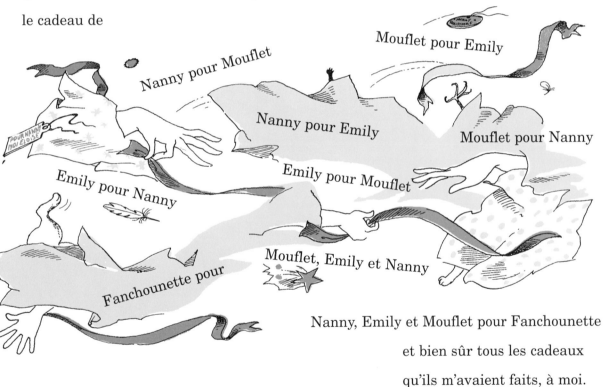

Nanny pour Mouflet

Mouflet pour Emily

Nanny pour Emily

Mouflet pour Nanny

Emily pour Mouflet

Emily pour Nanny

Fanchounette pour

Mouflet, Emily et Nanny

Nanny, Emily et Mouflet pour Fanchounette
et bien sûr tous les cadeaux
qu'ils m'avaient faits, à moi.

Et tout le monde a crié oh oh oh
et déballé toutes ces surprises
et certains d'entre nous
n'en croyaient pas leurs yeux,
même Moi, ELOÏSE.

Comme à son habitude
Mouflet s'est mis à creuser
autour du sapin
et sous cette boule
à gauche de la grosse branche
on a trouvé ce cadeau pour moi.

Et ce cher petit ange
aux cheveux pleins de neige a demandé :
« Qu'est-ce que ça peut bien être ? »

Alors Nanny a dit :
« Petite Miss Noël
Miss Noël Miss Noël
c'est un cadeau de moi. »
« Oh, Nanny, c'est si gentil !
Qu'est-ce que c'est ? »
et elle a dit :
« Ouvre, tu verras. »

Brillant et scintillant,
c'était un collier de diamants
tout en verre et babioles assemblées à la colle
« Oh, babioles et girandoles,
Nanny chérie, je t'adore
oh oui, vraiment. »

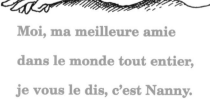

Moi, ma meilleure amie
dans le monde tout entier,
je vous le dis, c'est Nanny.

Ensuite, file, fonce et sonne
par ici le téléphone :
« Allô, la femme de chambre ?
Envoyez un petit déjeuner de Noël
sur des plateaux de Noël
aux quatre enfants de Noël
qui habitent ici.

Et si vous voulez grignoter
un petit quelque chose,
par exemple une bûche de Noël
à la cannelle,
allez donc dire au chef
d'en faire une exquise
et mettez-la sur ma note
à Moi, ELOÏSE. »

**Elles sont absolument délicieuses.**

C'est vraiment Noël,
alors vite mes amis, où que vous soyez,
montez ici tout en haut
partager babioles et friandises
avec MOI,
ELOÏSE.

Ding-dong

Ding-dong

Ding-dong

ici

Ding-dong

là

Ding-dong

Noël

si do la

Ding-dong

Ding-dong

Ding-dong

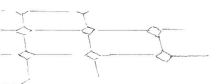

Ooooooooooooooooooooohhhhhhhh! C'est fou ce que j'aime Noël!